CW00470038

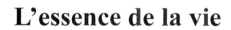

L'essence de la vie

Marie Boissey

L'essence de la vie
Recueil

LE LYS BLEU
ÉDITIONS

Le temps dérobé

À l'heure où j'écris ces poésies,
Pour vous transmettre quelques messages,
Pour vous emmener en voyage,
Le temps, à son rythme, nous anesthésie.

Les minutes nous échappent petit à petit
Et les heures défilent.
Pour nous, le temps n'a aucune empathie.
À travers nous, il se faufile.

Beaucoup de personnes courent après le temps.
On n'en sait pas vraiment le motif.
Les autres ne trouvent pas cela excitant
Et préfèrent flâner, être anticipatif.

Ce qui les rend plus sereins,
C'est de se la couler douce.
C'est de ne pas prendre le même train
Et d'éviter de brutales secousses.

Lorsqu'on se rend compte du temps perdu
Et que l'on a trop attendu,
Il est trop tard pour le rattraper.
De plein fouet, cette absence nous a frappés.

Il faut savoir profiter de chaque instant
Car le temps passé ne reviendra plus.
Si l'ennui est là, il faut être patient
Et face au temps, on le salue.

À l'aube de la vie

La beauté de la naissance
Est un plaisir visible.
C'est aussi une effervescence
D'émotions qui peut être irrésistible.

La naissance d'un être vivant,
L'éclosion d'un volatile
Sont de très beaux événements
Qui ont chacun leur propre style.

Vivre, c'est aimer.
Vivre, c'est savoir ne pas résister.
Vivre, c'est se lancer tenter.
Vivre, c'est savoir s'amuser.

On commence à se sentir vivant
Lorsque l'on déborde d'énergie.
On commence à se sentir vivant
Lorsque l'on comprend qu'on n'a qu'une vie.

Il faut prendre soin de soi.
Il faut avoir la foi.
Foi en la vie, foi en l'amour, foi en l'amitié.
Tout en restant entier !

Comme un océan d'émotions

Lorsqu'un son, que l'on entend,
Se distingue de ses semblables,
Il nous propulse vers un chant
Que l'on se met à fredonner sans que cela soit désagréable.

Quand on regarde une danse,
S'il y a une véritable perfection,
On entre dans un cercle d'émotions,
Qui nous transporte tellement que cela est intense.

Mais si l'on y ajoute une très belle mélodie,
Qui accompagne cette danse en parfaite harmonie,
Alors l'exaltation et le rythme nous pénètrent.
Et de notre corps, nous n'en sommes plus les maîtres.

Que l'on soit heureux ou chagriné,
Que l'on se sente bien ou angoissé,
La musique nous apaise, nous soulage.
Et ce, peu importe notre âge…

Que ce soit un opéra ou une symphonie,
Son air nous fait nous sentir en vie.
Il nous perfore, il nous berce.
Il nous remplit de joie, il nous transperce.

La musique est une langue universelle.
Elle nous rassemble et est comprise de tous.
Elle nous fait pousser des ailes
Sans qu'on en ait la frousse !

La beauté florale

Chaque pépite de la nature végétale
A en elle une magnificence suprême.
C'est comme une aurore boréale
Qui nous illumine en étant juste elle-même.

Lorsque l'on offre une jolie fleurette,
Il faut bien réfléchir au message que l'on veut envoyer.
Si l'on désire faire cadeau de violettes,
C'est que l'on souhaite que notre amour reste caché.

Chaque fleur a sa propre signification.
Il ne faut d'ailleurs pas se tromper
Afin de ne pas faire de mauvaises déclarations
Et de se retrouver en difficulté.

Lorsque l'on veut montrer notre amour,
On offre des roses rouges.
Si la personne nous aime, en retour,
Elle peut nous donner des œillets rouges.

Même si, de là où est notre être cher,
Il ne nous voit peut-être pas.
Mais quand on est en colère,
Sur sa tombe, on peut y déposer des pétunias.

Ce qui n'est pas très commun
Car, à la Toussaint,
Nous déposons plus souvent des hortensias,
Des chrysanthèmes ou des gardénias.

Mais la meilleure place d'une fleur
Est là où elle a grandi.
C'est là qu'est son paradis.
Sa vraie beauté est ici et pas ailleurs !

La bêtise humaine

Dans ce monde, nous arrivons
Tous avec les mêmes droits et les mêmes devoirs.
Cependant, certains rencontrent quelques complications
Et ont besoin d'un défouloir.

Cet exutoire peut être un lieu ou un objet
Mais surtout leurs semblables
Qui en deviennent des victimes, des rejets
Face à leurs propos pitoyables.

Les plus vulnérables
Sont directement atteints,
Se sentent coupables.
Alors que c'est juste un affrontement succinct…

Leur fragilité n'est pas innée !
Elle est juste la conséquence
De toutes ces infamies, de toutes ces atrocités
Qui sont arrivées avec une certaine violence.

Certains bourreaux s'en amusent.
Tandis que d'autres n'en ont même pas conscience.
Et pourtant, ils pratiquent tous cette mauvaise déviance.
Avec adoration, ils en abusent.

Jusqu'où peuvent aller leurs méchancetés ?
Quelle est leur finalité ?
Outre leurs sermons disproportionnés,
Ils accomplissent aussi des sévices démesurés.

Les receveurs de ces mots blessants,
Les receveurs de ces actes odieux
Gardent à contrecœur et en eux
Ces blessures, ces cicatrices, ces coups marquants.

Pour les arrêter, il faut
Souvent employer des manières fortes,
Ne pas avoir la main morte
Mais sans se mettre en porte-à-faux.

La bêtise humaine provoque, agace.
Sa grandeur est inébranlable.
Elle semble être infaillible, inépuisable.
Elle ne perd pas la face.

Ces balivernes nous angoissent
Car elles arrivent sans préface,
Sans qu'on en connaisse la cause.
Et comme souvenir, elles nous laissent que des ecchymoses.

La complaisance réciproque

Lorsque deux âmes se rencontrent,
De l'amour ou de l'amitié vient à leur encontre.
On peut donc dire qu'elles s'apprécient
Et que leur ignorance est abolie.

La méconnaissance fait place à la découverte. L'obscurité
à la clarté.
Et que ce soit en amour ou en amitié,
Une porte est donc ouverte.

Cette échappatoire accessible
Amène de la béatitude
Dans une relation disponible
À faire naître un sentiment de plénitude.

Comme dans tout rapport,
Amical ou amoureux,
Quelques désaccords
Peuvent survenir avec des noms injurieux.

Quelques mots blessants
Sont dits mais pas véritablement pensés !
Et pourtant !
L'autre se sent humilié…

L'amour comme l'amitié,
C'est quelque chose de précieux
Qu'il faut savoir préserver !
Comme si c'était la prunelle de nos yeux !

La disparition de l'âme

Lorsque la nuit éternelle commence,
Peut-être que personne ne sait que nous sommes partis.
Nous-mêmes, nous n'en avons pas conscience.
Pourtant, du monde des vivants, nous en sommes sortis.

La cause est généralement connue
Avant ou après notre départ.
Certains nous pleureront, d'autres deviendront criards
Face à une douleur qui leur était, jusqu'alors, inconnue.

Personne ne sait où nous allons,
Peut-être en enfer ou dans le céleste séjour.
Mais il est possible que notre excursion
S'arrête dans l'entredeux même si cela peut être court.

Nous ne partons pas entiers
Car seule notre âme décide de cette traversée ;
À cause d'un corps devenu usé,
Par une vie éprouvante et bouleversée.

La séparation du corps et de l'esprit
Est un moment inévitable
Car il faut céder sa place d'une manière incontestable
Avec un teint blafard et gris.

Un corps, sans âme, est comme une maison.
Il lui manque de la vie, du caractère.
L'esprit est juste le propriétaire
De cette carapace et c'est aussi le reflet de la raison.

Une personne qui a un cœur de pierre,
C'est le fait qu'elle ne ressent ni ne montre aucun sentiment.
On la croit morte de l'intérieur, comme un moteur défaillant.
Son âme a comme disparu, comme parti de son sanctuaire.

La faiblesse du cœur

Là où il y a de la générosité,
Il y a du cœur.
Et certains malheurs
Commencent à se dissiper.

Là où il y a de l'humanité,
On y voit de la compassion.
Il n'y a aucunement de la mauvaise pitié.
Juste un peu de remédiation !

Là où il y a du dévouement,
Il y a des individus passionnés.
Ils font souvent preuve d'humilité.
Sans paraître impertinents !

Là où il y a de la gentillesse,
On y voit une certaine noblesse.
C'est ce qui en fait la grandeur d'une âme !
Avec la présence d'aucun amalgame.

Lorsqu'il faut faire un choix
Et qu'on en a la possibilité,
Notre faiblesse cordiale, avec de la spontanéité,
Ne réfléchit plus et éclate de joie !

Là où il y a de la solidarité,
Il y a du cœur.
Là où il y a de la complicité,
Il y a le plus beau des bonheurs !

La gracieuseté bleue

Ta senteur enivrante
Remplit les bonnetières.
Ta présence envahissante
Se dépose sur un secrétaire.

Ta senteur enivrante
Éloigne les nuisibles
De la tête des petits enfants
Pour qu'ils aient une vie plus paisible.

Mauve est le seul ton de violet
Que tu as comme jouissance.
Dans les champs de Provence,
Ta plantation se fait en rangée.

Séchée, en huile ou sans aucune provende,
Ton doux nom n'est autre que « lavande ».

La liberté comprise

En France, nous avons une devise.
Liberté, Égalité, Fraternité !
Une liberté compromise…
Compromise, la liberté !

Libre de s'exprimer,
Libre de manifester,
Libre de faire ce qui nous plaît,
Mais pas libre d'être un non-préservé !

En France, nous avons une devise.
Liberté, Égalité, Fraternité !
Une devise respectée…
Et souvent, non-honorée cette devise !

Libre de s'exprimer,
Libre de manifester,
Libre de profiter de la vie,
Des libertés retirées sans préavis !

Sommes-nous aussi libres que l'on croit ?
Sommes-nous aussi heureux dans ce pays ?
Avons-nous encore des droits ?
Avons-nous une liberté comme dystopie ?

Retrouverons-nous un jour cette liberté ?
Une liberté non-désertée !

La lueur savante

Si ton esprit te paraît sombre,
Cherche alors la lumière qui se cache dans ton âme.
Et en jaillira cette petite flamme
Qui te fera sortir de la pénombre.

Ton esprit est comme le ciel.
Il faut que tu chasses les nuages
Pour y trouver ton soleil couleur miel
Qui brillera comme un coquillage.

La nuit nous semble sombre.
Mais la lune, qui s'y trouve, est comme les étoiles.
Sans doute caché par la pénombre,
Le soleil de ton esprit en deviendra royal.

La lumière livresque

Si ce manuscrit vous aimez !
De la liberté, vous en serez ivre.
Avant d'ouvrir ce livre,
Son résumé et sa couverture, vous admirez.

Ivre de liberté,
Vous voyagerez.
Ivre de liberté,
Vous rêverez.

Pour certains, lire est un calvaire.
Pour d'autres, c'est un bonheur.
Ouvrez votre esprit et vous en serez fière !
De cette friche, vous en serez le cultivateur.

Votre largesse d'esprit
Vous offrira une quiétude sociale.
Votre petitesse d'esprit
Vous amènera dans une réclusion globale.

Plus vous jardinerez votre raison,
Plus belle sera la floraison !
Si vous décidez d'éclairer votre intelligence,
De sa communication naîtra de la bienveillance.

La mémoire du passé

Notre faculté à se souvenir
De certains moments de notre passé
Nous fait souvent grimacer
Mais surtout sourire !

Certains vivent dans l'ancien temps
Tout en ayant conscience du présent.
Pour l'entourage, cela peut être démoralisant.
Mais pour eux, c'est plus excitant.

Ne pas oublier les erreurs que l'on a commises
Nous empêche de réitérer.
Ne pas oublier les erreurs que l'on a commises
Nous amène à ne plus adhérer à certaines atrocités.

La ressouvenance d'un temps éteint
Est la seule lumière
Pour faire revivre des instants lointains.
Même si cela n'est qu'éphémère…

Notre faculté à penser
Est une de nos richesses essentielles
Qui prouve une de nos manières d'exister.
C'est ce qui forme notre histoire mémorielle !

La sagesse silencieuse

Avec le temps, nous comprenons.
Avec le temps, nous apprenons
Qu'il est souvent plus prudent
D'avancer à pas de loup pour éviter les accidents.

Avec l'âge, on devient plus calme, plus paisible.
Les erreurs et la connaissance
Sont des éléments que forme notre expérience.
En effet, on se sent un peu plus infaillible.

Lorsque le doute fait son apparition,
C'est que la réflexion
A déjà fait ses premiers pas
Pour faire de la maturité son repas.

Le silence, la discrétion, l'humilité
Sont le reflet de notre intelligence,
De notre bon sens, de notre capacité
À ignorer certaines divergences.

En vieillissant, nous freinons notre folie.
Non pas par crainte mais par envie de sérénité !
Nous en arrivons même à faire preuve de doigté
Afin d'éviter quelques conflits.

La paralysie évolutive de notre engouement,
Utilisé par le passé avec trop d'insouciance,
Nous rend plus sages, moins arrogants
Et nous décidons de faire plus confiance.

La vérité oubliée

Par inadvertance ou juste pour protéger un être cher,
On se retrouve souvent contraint à cacher la réalité.
On peut avoir la possibilité
De se rattraper et de retirer nos œillères.

Mais pour une raison qu'on ignore,
Ce moment tant redouté ne vient pas.
Plus le temps passe, plus cette boîte de Pandore
Nous fait peur et son ouverture, on n'en veut pas.

Cette peur s'agrandit et s'accouple avec la culpabilité
À chaque fois que le moment ou la personne
Évoque de près ou de loin cette vérité
Qui, en nous, bouillonne.

Parfois, il faut quelques années ou toute une vie
Pour avouer ce qui est prêt à éclater.
Il faut réussir à ouvrir, à poser ce pont-levis
Qui nous sépare de la sérénité.

Il se peut que plusieurs générations naissent
Avant que le secret ne soit dévoilé
Et que ce poids familial, on le délaisse
Pour aider la paix à s'installer.

Mentir n'est jamais bon.
Car tôt ou tard, la vérité explosera
Et nous risquons d'être traités comme un scélérat,
Comme quelque chose de nauséabond.

L'amour félin

Chaque chat a son propre caractère.
C'est notre petit locataire.
Qu'il soit noir, roux ou tigré,
Il peut être têtu, câlin ou routinier.

Un brin farceur.
Un peu joueur.
Un peu ronfleur.
Un brin chasseur.

Il a souvent, comme on dit,
Son petit quart d'heure de folie.
Notre retour, il l'attend sagement.
Et, qu'est-ce qu'on l'aime tant !

Il a sa manière à lui
De nous montrer son affection.
Partout, il nous suit.
Sa présence est une bénédiction.

Quel que soit son nom ou son surnom,
C'est une preuve de notre adoration.

L'amour maternel

Ma petite maman, dans l'attente de mon arrivée,
Tu commençais déjà à te sentir comblée.
Ton amour à mon égard
S'agrandissait et devenait criard.

Ma petite maman, tu m'as donné la vie.
Je t'en remercie.
Grâce à toi,
Je suis encore là.

Des sacrifices, tu en as fait !
On ne les compte plus.
Je t'ai, sans doute, déjà déçu.
Mais mes erreurs, toute mon existence, je les regretterai !

Tu as plus pensé à moi
Que tu n'as pensé à toi !
Tu as su me consoler et me rassurer.
Tu as su me protéger et m'aimer.

Devenir mère a été le plus beau cadeau
Que tu n'imaginais peut-être pas recevoir.
Sur tes yeux, tu as enlevé ce bandeau
Qui t'empêchait de mieux voir.

Croyais-tu qu'un jour,
Je serais là à tes côtés ?
Ton amour, je te le rendrai
À chaque fois que tu en ressentiras le besoin et pour
toujours…

Ma petite maman,
Je t'aime tant !
Merci d'être là à chaque instant.
Merci de m'aimer autant !

Le calme forestier

Faire de jolies promenades,
Profiter de quelques balades,
À travers ces chemins de forêts ou de quelques sentiers,
En vue de pratiquer un peu la randonnée.

Apercevoir quelques ruines,
Passer dans les champs de vignes,
Apercevoir les empreintes du passé,
Que nos ancêtres nous ont laissé.

Pour voir quelques beautés de la nature,
Tel que des arbres entrelacés.
Quelques chemins semés d'embûches, il faut passer !
Pour se souvenir de ces belles aventures !

Tout ceci, pour s'éloigner d'une cacophonie pénible.
Tout ceci, pour se sentir plus paisible.
Et pour pouvoir se ressourcer,
Après ces quelques chemins ou venelles traversés.

Le noyé paresseux

Seul sur le sable, il avancera.
Sous le soleil, il marchera.
Tout droit, vers la mer, il ira.
Une pause sur le chemin, il fera.

Sur le sable, il s'allongera.
Sur la plage, il bronzera.
Sous le soleil, sa peau brûlera.
Pour refroidir, vers la mer, il retournera.

Dans la mer, il se baignera.
Dans la mer, il nagera.
Dans la mer, il s'enfoncera.
Dans la mer, il mourra.

Et personne ne le sauvera…

Le regard altruiste

Ne penser qu'aux autres personnes,
Au point de s'oublier soi-même,
Est comme une passion qui résonne
En nous, sans avoir une quelconque flemme.

Leur vie, notre vie se résume à la générosité,
À la bienveillance et à la fraternité.
Nous aimons faire plaisir.
Donner mais pas recevoir est notre seul désir.

Les personnes généreuses ne sont jamais
Dans le jugement mais
Plutôt dans la compréhension
Du vécu des autres avec un brin d'attention.

Leur aide, leur vision des choses
Aident ceux qui sont dans le besoin, dans l'indigence.
Même si ces derniers n'en ont pas conscience.
Pour qu'avec eux-mêmes, ils se sentent en osmose.

Leur ouverture d'esprit et leur patience
Sont certains de leurs plus grands atouts
Qu'ils aiment mettre à profit avec clairaudience
Où qu'ils soient c'est-à-dire partout.

Leur regard sur les autres n'est fait
Que d'optimisme et de confiance.
Il n'est pas parfait
Mais il est rempli d'amour et de prévenances.

La sagesse de ces personnes au grand cœur
Est parfois compromise
À cause des profiteurs
Qui s'en amusent à leur guise.

Le trésor de la vigne

Le sentiment de découvrir tes vignes,
Le plaisir de se balader dans tes plantations
Sont d'agréables jouissances dignes
D'un certain prestige avant même ta dégustation.

Qu'il soit rosé, rouge ou blanc,
Ton vin est comme de l'or.
Il est tout aussi précieux et troublant.
Même conservé, il nous émerveille encore.

Quel que soit son cépage, sa variété,
Qu'il provienne de raisins blancs ou noirs,
Peu importe sa notoriété,
À l'automne, il brille dans les foires.

Son enchantement sur nos papilles
Se marie bien avec la saveur de nos spécialités.
Il nous fait tellement rêver
Qu'il charme nos pupilles.

Tu es le fruit d'une grande patience.
Celle des vignerons et des cultivateurs !
Ce sont d'humbles travailleurs.
Tu es leur fierté grâce à ton abondance.

Que tu sois un Pinot noir ou un Chardonnay,
Que tu sois un Merlot ou un Gamay,
Que tu sois un Grenache ou un Sauvignon,
Tu es notre petit filet mignon !

L'ébranlement régulier

La plupart des gens adorent
Leur petit confort.
À tel point qu'ils rejettent leurs proches
Pour se mettre sous cloche.

Quitter l'aisance de son intérieur
Pour une terre inconnue
Nous fait peur
Et peut être accompagné de déconvenues.

Pourtant, le changement a du bon.
Grâce à lui, nous avons une vie meilleure.
C'est souvent la libération d'un maillon
De notre carcan tueur.

Les rituels et les habitudes
Sont source d'apaisement.
Chez certains, les bouleverser est souvent
Une contradiction à leur sentiment de plénitude.

L'évolution d'un état passe
Par les nombreux efforts de connaisseurs
Qui deviennent des chasseurs
D'éteignoirs robustes et tenaces.

Le changement permet
L'amélioration de notre quotidien.
Ce qui nous satisfait !
Ce qui nous fait du bien !

Les ères annuelles

Au printemps, c'est l'heure
Des premiers amours, des premières floraisons.
Pour les yeux et le cœur, c'est un pur bonheur !
La chrysalide devient papillon.

La fête de la musique ouvre le bal
Sur les festivités des grillades,
Des danses, du bronzage et des baignades.
Et c'est un pur régal !

Quand vient la fin de l'été,
Les feuilles décident de tomber.
Cela nous donne d'ailleurs envie
De goûter aux champignons et aux châtaignes fraîchement
cueillis.

Puis les températures baissent
Et deviennent presque glaciales.
Avec la famille ou les amis, nous réalisons des prouesses
En faisant des batailles de boules de neige et c'est génial !

Quel que soit le moment de l'année,
Quelle que soit la saison,
Cela nous apporte de la gaieté !
Cela nous emmène dans un tourbillon
De saveurs très variées !

Les joyaux volants

Dans notre jardin, nous voyons un tas de choses.
Dans notre éden, nous nous y sentons en osmose.
Quelques transformations
Ou métamorphoses nous observons.

Chaque arbre, chaque fleur
Se voit un jour avec un corbeau,
Une abeille, un papillon ou un étourneau
Sur eux et avec de belles couleurs.

À la saison du chant des louanges,
Quelques beautés éphémères font leur apparition.
À la saison des vendanges,
La nature se prépare à une certaine hibernation.

Le symbole du changement, de la renaissance
Est souvent pris comme comparaison
Lorsqu'une personne nous montre de la reconnaissance
Et que notre chrysalide s'ouvre vers la civilisation.

Le machaon, le moro-sphinx, le lycène bleu
Sont quelques sortes de trésors volants
Qui, avec leurs ailes et de par leur talent
Du mouvement émerveillent nos yeux.

Les manières égarées

Quand nous sommes enfants,
Nos parents nous reprennent souvent
Sur les règles de savoir-vivre, de politesse
Et de respect qui ne sont que nos lettres de noblesse.

Ensuite, nous grandissons.
De quelques usages, nous en perdons.
La faute sans doute à un trop laisser-aller
Qui a pris une place non égalée.

Cela peut aussi être dû à une interruption
De l'éducation ou de certaines désillusions
Lorsque l'on se rend compte que pour se faire accepter
Dans la société, il faut se faire respecter.

On pourrait s'en demander la raison
Qui est sans doute simple à trouver.
Mais, à force d'être confronté à une floraison
D'injures de toutes sortes, certains finissent par imiter.

L'absence de respect, de courtoisie
Dans leur nouvelle conduite, différente d'hier,
Sème le désordre et la zizanie
Dans un monde devenu trop austère.

C'est eux qui l'ont rendu ainsi !
À cause de leur colère, de leur mépris,
De leur médiocrité et de leur manque de diplomatie,
Nous, les respectueux de la morale, sommes incompris !

Les prémices de la nuit éternelle

Le début de la vieillesse
S'apparente fortement à notre enfance.
Le déclin de notre corps, avec peu d'allégresse,
Nous ramène à l'aube de notre existence.

Quelques signes éclaireurs
Nous montrent leur affection.
Ils jouent malheureusement en notre défaveur.
Et, à leurs égards, nous en éprouvons de l'aversion.

Progressivement, l'usure de notre être
Nous conduit dans une certaine incapacité
À rester autonome et à ne plus en être le maître.
Pour nos proches, nous devenons des assistés.

Chacun a sa propre manière de vieillir.
Chacun a son propre rythme.
Mais aucun de nous ne connaît la résolution de l'énigme
Sur la décision de la faucheuse à nous cueillir.

Rien que l'idée d'y penser,
Nous en devenons livides
Et nous sommes angoissés.
La faucheuse, longue à se décider, nous intimide.

Un jour, sans prévenir,
Vers elle, elle nous attire.
Personne de notre entourage ne peut s'en réjouir
Car, pour la suivre, ils n'ont pas de désir.

Mais une fois qu'elle est passée,
Tout est terminé !
Nous nous sommes endormis
Sans avoir pu faire de compromis.

Aucun réveil ne se fera !
Et cette nuit éternelle démarrera…

L'espoir intime

L'idéal que l'on se fait
De la famille ou de ce qui s'en rapproche
Est souvent une accroche
D'un désir profondément muet.

On souhaite certaines choses.
On veut qu'elles se réalisent.
Mais des obstacles se mettent en symbiose
Sans aucune flemmardise.

Dès notre venue au monde, ils sont présents.
Certains naissent avec un seul parent.
D'autres naissent malheureusement orphelins.
Ce qui, parfois, est un mal pour un bien.

Nous rêvons tous de la famille parfaite.
Mais elle peut se faire
Quand on crée la nôtre de façon linéaire.
Avec l'espoir qu'il n'y ait aucun trouble-fête.

Nous rêvons tous de la famille parfaite
Où aucune histoire ne vient la perturber,
Où la tristesse, le chagrin et la morosité
Ne peuvent que connaître la défaite.

Nous espérons tous avoir un royaume
Où le bonheur et l'amour y dominent.
Nous le souhaitons sans avoir à passer un baume
Sur des plaies, des cicatrices pour qu'elles s'affinent.

Créer notre petite tribu
Est le plus cadeau, le début
D'une vie merveilleuse
Sans être trop rocailleuse.

L'esprit perdu

Il arrive que l'on décide de prendre
Un chemin différent
Plutôt que d'aller vers un but plus cohérent,
Plus facile et plus rapide ; ce qui peut surprendre.

Mais sur la route de l'objectif final,
La vie a continué et cela est normal.
Il se peut qu'on en oublie notre motivation
À cause de nouvelles découvertes, de nouvelles tentations.

Une fois que cette première tâche est accomplie,
Nous avons sans doute le désir de réaliser
Ces nouvelles passions, ces nouvelles lubies.
De notre mémoire, l'envie première semble effacée.

Alors on essaie d'autres choses
Qui peuvent tout à fait nous plaire.
Mais si une réflexion est à faire,
De la distance, nous en devenons des virtuoses.

En effet, cette réflexion nous éloigne
Du but de départ ou elle s'en rapproche.
Alors, on décide de franchir des montagnes
En emportant le courage et l'espoir dans notre sacoche.

Se perdre en cours de chemin
N'est pas une vraie perte de temps.
Car, face à la vie, on est devenu plus compétent
Pour affronter les tempêtes de demain.

L'existence céleste

Toi, la reine de mes nuits,
Toi, le roi de mes jours,
Votre grande lumière m'éblouit.
Votre aisance m'impressionne toujours.

Dans ma cour, dans mon antre,
Vous êtes les seuls à me tenir compagnie.
Les mésanges, les rouges-gorges ou bien les colibris
Sont autant d'ailes qui peuplent mon ventre.

Les tempêtes, les bourrasques, les orages,
Pour vous, ce ne sont que des nuisibles.
Mais pour moi, avec mes quelques nuages,
Cela m'amuse et j'aime être imprévisible.

La pluie, le beau temps,
Le verglas, la neige
Sont certains de mes passe-temps.
Ils peuvent venir en cortège
Ou bien être mon manège.

L'existence éclairante

La vie est source d'inspiration
Mais aussi source de déception.
Nous sommes parfois confrontés
À des divergences qui peuvent nous déconcerter.

Cela peut bien se finir
Et nous garantir un meilleur avenir.
Mais cela peut aussi nous donner la sensation
D'avoir été trompé et un sentiment de trahison.

Certains penseront à se venger.
D'autres penseront à oublier.
Mais les plus pacifistes comprendront
Que la vie leur a donné une leçon.

Que nous soyons en tort ou non,
Nous essayons tant bien que mal
De faire preuve de reviviscence optimale
Avec la plus grande clairvoyance que nous ayons.

Nous recevons de toutes parts
Une forme d'instruction qui nous fait
Peu à peu sortir du brouillard
Et nous empêche de devenir un baudet.

Ces enseignements nous aident
À mieux appréhender les aléas de la vie,
Nous réconfortent comme un plaid.
Car la vie est cruelle et sans répit.

Chaque jour de notre existence,
Nous encaissons et nous apprenons avec méfiance.
Chaque jour de notre existence,
Nous devons faire preuve de résilience.

Mais ces leçons de vie ou de moral,
Peuvent nous faire du mal
Comme du bien avec prises de conscience
Qu'en à la vie, nous devons en avoir confiance.

L'humeur désenchantée

Les émotions présentes dans notre séjour
Nous font souvent nous sentir joyeux.
Et puis un beau jour,
Tout s'inverse et nous nous sentons malheureux.

La tristesse, conséquence de la mélancolie
Ou bien de la nostalgie,
S'empare de nous.
Et cela nous met à genou.

Notre humeur aime nous jouer des tours.
Notre état d'esprit aime changer.
Nous vivons ainsi tous les jours
Sans pouvoir l'éviter.

Parfois, nous nous sentons abattus.
Comme si tout s'écroulait autour de nous.
Comme si plus rien n'allait, vois-tu ?
Nous ressentons les mêmes émotions qu'un caillou.

Cela arrive même que la déprime
Décide de s'installer
Pour une durée
Soit longue ou infime.

L'indulgence résignée

Savoir pardonner,
C'est accepter de passer à autre chose.
D'un fardeau, on arrive à s'en acquitter.
Avec soi, on se retrouve enfin en osmose.

Délaisser cette blessure
Qui nous a tant fait mal,
C'est créer une ouverture
Sur un meilleur bien-être mental.

Se débarrasser d'un passé,
De quelque chose de lourd à porter
Est libérateur et nous permet d'avancer.
On commence enfin à respirer.

Si l'on tient vraiment à cette personne
Et qu'on ne veut pas qu'elle parte,
On lui offre alors une très belle tarte.
Et quelques mots, on lui chantonne.

Mais parfois, tenir à une personne ne suffit plus.
Tellement les blessures ont été douloureuses et fréquentes.
De lui parler, on ne le fera plus.
Cette décision est sans doute la plus cohérente.

Avec le temps, on finit par pardonner.
Mais il ne sera toujours pas question de lui reparler.
Car, après avoir retrouvé la paix intérieure,
Notre vie est devenue incomparable et meilleure !

L'ivresse des pensées

Avoir l'esprit bavard,
C'est avoir une avalanche d'idées en tête.
C'est ne pas être avare
Sur les mots et ne pas en laisser une miette.

Dans notre caboche, c'est la bousculade.
Dans notre cervelle, les pensées s'y baladent.
On a tellement de choses à dire
Que parfois, les paroles ont du mal à venir.

Quand on n'a pas réussi à tout dire,
À cause d'un oubli ou d'un empêchement,
On se sent frustré avec aucun ménagement.
Et la chose qui nous a coupées, on veut la maudire.

Les émotions mais surtout la timidité
Sont des blocages qu'on a du mal à surpasser.
On a envie de raconter, d'exprimer notre avis.
Mais la peur des autres, de leurs réactions, nous asservit.

Ces barrières infranchissables
Provoquent, en nous, une accumulation de pensées
Qui est plus qu'inconfortable
Et leur ordre y est effacé.

Lorsqu'il devient possible de les évacuer,
On ne sait plus par où commencer.
Quand on y parvient,
La délivrance a enfin fait son chemin.

L'oubli passif

Par dépit ou par inadvertance,
Par rejet ou par volonté,
Nous ressentons le besoin de s'éclipser.
Timide ou non, cela arrive en toutes circonstances.

Mais sans vraiment en avoir conscience,
Ce besoin de s'évader mentalement
Devient une habitude, un médicament ;
Quitte à pratiquer la méfiance !

Le désir de s'esquiver
Devient, chez certains, un automatisme
Afin d'améliorer leur bien-être, se protéger
Sans faire preuve d'égoïsme.

Cela leur permet d'observer
Leur entourage, voir ce qu'il s'y passe,
Pour mieux agir, sans réelle corvée,
Tout en restant dans leur carapace.

Mais cette accoutumance à s'effacer
Peut leur nuire, leur jouer des tours
Car les autres peuvent les oublier
Jusqu'à un point de non-retour.

Ce qui est bien dommage
Puisque certaines personnes méritent
Qu'on leur rende hommage
Sans avoir été touché par la flémingite.

Ma petite cambrousse

Chaque matin, tu aimes chanter.
Toi, le coq de nos débuts de journée !
Avec ton hymne, ta beauté et ton plumage,
Tu es, depuis toujours, l'un des symboles de nos villages.

Chaque champ de notre petite cambrousse,
Chaque espace de notre petite campagne
Est notre petit paradis sans secousse.
Même si, parfois, il y a de la castagne !

Quelques histoires de famille la provoquent !
Des histoires très souvent intergénérationnelles
Et qui arrivent sans équivoque.
Ce ne sont que des chamailleries devenues obsessionnelles !

Chaque heure, tes cloches retentissent.
Cela pour notre plus grand bonheur,
Pour nous faire honneur.
Chaque écoute est une esquisse !

En lisière de nos plaines,
Au bord de nos collines,
La beauté de nos forêts nous tient en haleine.
À l'intérieur, il peut s'y cacher quelques ruines.

Un vrai campagnard, une fois devenu
Un habitant de la ville, un citadin,
Sans sa campagne natale se retrouve à nu.
Ce qui n'est pas anodin !

En effet, un vrai campagnard
Est comme déraciné
Et se retrouve dans le brouillard
Face à un monde non-apprivoisé.

Mamie Line

Ma petite mamie, depuis déjà quelques années,
Tu as poussé
Ton dernier soupir.
De toi, tu m'as laissé quelques souvenirs.

Ma petite mamie, cela fait trop de temps
Que tu es partie.
Ma petite mamie, cela fait trop de temps
Que ta présence a été remplacée par l'ennui.

Mon jeune âge de l'époque
M'a empêché de te dire adieu.
Mais notre amour réciproque,
Dans mon cœur, est resté merveilleux.

De toi, peu de réminiscences
Me reviennent en mémoire.
Sûrement dues à une certaine évanescence
Qui ne peut que m'émouvoir.

Je n'étais qu'une enfant
Mais tu savais et pouvais me faire confiance.
Avec toi, rien n'était ennuyant ni étouffant.
Tu savais faire preuve de clairvoyance.

Je n'étais qu'une enfant
Mais je comprenais tous les événements.
J'étais certes très jeune mais mature et consciente.
À mon égard, tu as su rester bienveillante.

Ma petite mamie, je ne peux
Te faire revenir parmi nous.
Mais sache que je ne peux
T'oublier et le souvenir de toi reste doux.

Ma petite mamie, je ne vais
Point t'écrire avec excès.
Mais je vais continuer
À me souvenir de toi et à t'aimer.

Nos souvenirs d'enfance

Quand nous étions enfants,
Nous qui sommes nés dans les années quatre-vingt-dix,
Nous passions du bon temps.
Nous étions pleins de malice.

Dans les cours de récréation,
Nous aimions jouer au ballon
Et à toutes sortes de jeu, même les derniers sortis,
Comme les Pokémon ou les Furby.

L'innocence et l'insouciance
Étaient les maîtres mots, les piliers
De notre enfance !
Sans oublier notre liberté !

Nous étions libres d'aller jouer,
S'amuser dehors après nos devoirs.
Nous rejoignons donc nos copains le soir.
Nos parents savaient et nous confiaient.

Ils avaient tous confiance
Les uns envers les autres, avec leur semblable,
Sans aucune méfiance.
Aujourd'hui, ça serait incroyable.

C'était la belle époque
Où les livres avaient réellement leur place,
Où la communication se faisait en face à face
Sans paraître loufoque.

Si une bêtise était faite,
On se faisait réprimander.
On ne devait pas en rater une miette.
Peu importe de qui cela venait.

Nos parents étaient tout de suite au courant.
À leur tour, ils nous rouspétaient
Sans en retarder le temps.
La punition, s'il y avait, arrivait sans délai.

C'était notre enfance.
C'était le début de notre existence
Où la confiance, la bienveillance et la complicité
Étaient là sans ambiguïté.

Petit coquelicot

Toi, seul parmi les autres,
Tu flânes au vent.
Le long de la côte,
Tu te sens vivant.

Pour le bonheur des yeux,
Tu nais au printemps.
Avec un rouge éblouissant,
Ton aspect est merveilleux.

La fragilité de tes pétales,
Ta tige d'un vert pâle,
Fais de toi une jolie fleur.
Fais de toi un être supérieur.

Un avenir incertain

Nous avons tous fait un jour des projets
Qui ne se sont malheureusement pas réalisés
Pour une raison qui nous a peut-être échappé
Malgré les investissements que l'on a faits.

Le passé n'est plus à refaire
Car il est déjà trop tard.
Mais le présent est à profiter avec quelques prières
Pour que le futur ne soit pas trop similaire au brouillard.

Au-delà de l'actuel instant,
Si cela est très proche du moment,
Nous savons peut-être ce qui nous attend
En espérant qu'aucun imprévu ne soit arrivé soudainement.

Pourtant, le temps prochain
Est souvent très sombre, très obscur
Car nous ne pouvons le prédire, l'inclure Véritablement
même si c'est demain.

On a tous des espoirs, des envies
Qu'on aimerait concrétiser
En espérant ne pas être trahi
Ou ne pas en être déstabilisé.

Pour réduire l'inquiétude concernant notre avenir,
Il faut assurer ses arrières, ne pas le ternir,
Solidifier les bases et ne pas en être ignorant.
Puis, éviter les erreurs un maximum sans être trop prévoyant.

Il faut prendre les choses en main
Pour rendre l'avenir moins incertain.

Un été pluvieux

Sur le parking se forme un lac
Avec comme ouverture souterraine
Un égout, une canalisation, un cloaque,
Avec récurrence, de manière quotidienne.

Sur le parking se forme un lac
Qui n'est autre qu'une grosse flaque.
Où est le symbole de l'été ?
Les nuages l'ont ombragé.

Les gouttes d'eau ont remplacé les rayons du soleil.
La fraîcheur s'est emparée de la chaleur.
La coruscation s'est mise en veille.
La douceur de l'esprit se meurt.

Des vacances sans bronzage.
Un été sans plage.
Des fleurs sans abeille.
Un soleil en sommeil.

Cette belle saison ressemble à l'automne.
Cet été devient monotone.

Table des matières

Imprimé en Allemagne
Achevé d'imprimer en février 2022
Dépôt légal : février 2022

Pour

Le Lys Bleu Éditions
40, rue du Louvre
75001 Paris